U0344071
1580242725

中华人民共和国国家标准

橡胶工厂节能设计规范

Design code for energy saving of rubber factory

GB 50376 - 2015

主编部门：中国工程建设标准化协会化工分会
批准部门：中华人民共和国住房和城乡建设部
施行日期：2 0 1 5 年 1 0 月 1 日

中国计划出版社

2015 北 京

中华人民共和国国家标准

橡胶工厂节能设计规范

GB 50376-2015

中国计划出版社出版

网址：www.jhpress.com

地址：北京市西城区木樨地北里甲 11 号国宏大厦 C 座 3 层

邮政编码：100038　电话：(010) 63906433（发行部）

新华书店北京发行所发行

北京市科星印刷有限责任公司印刷

850mm×1168mm　1/32　2.25 印张　56 千字

2015 年 9 月第 1 版　2015 年 9 月第 1 次印刷

☆

统一书号：1580242・725

定价：14.00 元

中华人民共和国住房和城乡建设部公告

第736号

住房城乡建设部关于发布国家标准《橡胶工厂节能设计规范》的公告

现批准《橡胶工厂节能设计规范》为国家标准，编号为GB 50376—2015，自2015年10月1日起实施。其中，第6.2.1、6.3.1条为强制性条文，必须严格执行。原《橡胶工厂节能设计规范》GB 50376—2006同时废止。

本规范由我部标准定额研究所组织中国计划出版社出版发行。

中华人民共和国住房和城乡建设部

2015年2月2日

前　言

本规范是根据住房城乡建设部《关于印发〈2012年工程建设国家标准制订、修订计划〉的通知》(建标〔2012〕05号)的要求,由中国石油和化工勘察设计协会和中国化学工业桂林工程有限公司会同有关单位,在原标准《橡胶工厂节能设计规范》GB 50376—2006的基础上共同修订完成的。

本规范在编制过程中,编制组进行了广泛的调查研究,认真总结了我国多年来橡胶工厂设计中节能方面的经验,结合国内外橡胶工厂节能设计的先进技术和成熟理念。广泛征求了国内橡胶行业的工程设计、工程施工、科研和橡胶制品、轮胎生产单位的意见,最后经审查定稿。

本规范共分12章和4个附录,主要技术内容包括:总则;术语;基本规定;总图、建筑与建筑热工节能设计;工艺节能设计;电力节能设计;给排水节能设计;供热节能设计;供暖、通风和空气调节节能设计;动力与工业管道节能设计、自动控制节能设计及能源计量等。

修订的主要技术内容:新增第三章"基本规定"、第十二章"能源计量"、附录D 《节能专篇编写大纲》的设计规定;修订了三胶综合能耗(吨标准煤/吨三胶、吨标准煤/吨轮胎)的规定;补充内容:节能装备和节能材料选用要求,间冷开式循环冷却水系统的浓缩倍数。对原规范的技术参数、术语、相关专业标准、条文说明等进行了调整与修订。

本规范以黑体字标志的条文为强制性条文,必须严格执行。

本规范由住房城乡建设部负责管理和对强制性条文的解释,由中国工程建设标准化协会化工分会负责日常管理,由中国化学工业桂林工程有限公司负责具体技术内容的解释。执行过程中若发现需要修改和补充之处，请各单位随时将意见和建议寄送中国化学桂林工程有限公司（地址：广西桂林七星路77号，邮政编码：541004，电话：0773-5833246，传真：0773-5813749），供今后修订时参考。

本规范主编单位、参编单位、参加单位、主要起草人和主要审查人：

主编单位：中国石油和化工勘察设计协会
中国化学工业桂林工程有限公司

参编单位：全国橡胶塑料设计技术中心
昊华工程有限公司
海工英派尔工程有限公司
软控股份有限公司
三角集团有限公司
风神轮胎股份有限公司

参加单位：北京万向新元科技股份有限公司
北京东方风光新能源技术有限公司
青岛高策橡胶工程有限公司

主要起草人：程一祥 荣世立 王东明 陈昌和 魏东
杨中年 卢国宇 吴江 张清宇 刘爱华
罗文武 李贵珍 郑玉胜 杨静 王建军
胡祖忠 李贵君 顾卫民 冯康见 常红红
罗燕民 张魁 徐伟春 金贤芳 刘杏
王龙波 刘魁娟 谭靖 刘岩 许红梅
江奇志 于广山 高彦臣 阳洁 李英
申玉生 赵国利 杨强 姜秀波 刘谦
张建

主要审查人：朱大为 陈春林 魏君谋 丘西宁 林立
曲学新 刘梦华 孙怀建 郑玉力 柳宏伟
朱业胜 沈天民 刘志东

目　　次

Contents

1 总　　则

1.0.1 为了降低橡胶产品生产的综合能耗，提高设计质量，建设节能型企业，促进橡胶工业可持续发展，制定本规范。

1.0.2 本规范适用于新建、改建和扩建橡胶工厂工程项目的工业建筑节能设计。

1.0.3 节能设计是各专业设计内容的重要组成部分。在设计中，各专业应以本专业的设计标准为基础，按本规范采取有效的节能技术措施。

1.0.4 主要耗能设备宜选用高效节能型或低能耗产品，各专业设计宜进行多方案技术经济比较，选用节能效果好、技术可靠、经济合理的方案，并应选用经生产实践证明行之有效的节能新工艺、新技术、新设备和新产品。

1.0.5 工程设计中，综合能耗指标(吨标准煤/吨三胶、吨标准煤/吨轮胎)应按本规范附录A计算。三胶或轮胎应以合格品量计算。综合能耗计算方法应符合本规范附录B的规定，各种能源折算系数应符合现行国家标准《综合能耗计算通则》GB/T 2589的有关规定。节能设计专篇应按本规范附录D编写。

1.0.6 综合能耗计算结果应与同类企业进行比较。因不同地区的气候条件不同而造成的差别，应根据地区类别选取气温影响可比修正系数 F 值，气温影响可比修正系数 F 值应符合本规范附录C的规定。

1.0.7 橡胶工厂节能设计除应执行本规范外，尚应符合国家现行有关标准的规定。

2 术　　语

2.0.1 能耗　energy consumption

指橡胶产品生产过程中所消耗的能量。

2.0.2 三胶　nature rubber,synthetic rubber and reclaimed rubber

指天然橡胶、合成橡胶及再生胶。

2.0.3 硫化　curing

能对模具加热、加压,具有开模、合模等功能,用于硫化橡胶制品的工艺过程。

2.0.4 低温炼胶工艺　mixing process by low temperature

通过多台变速、变距的开炼机对经过密炼机初步混炼的母炼胶进行自动降温剪切混炼、加硫混炼的炼胶工艺。

2.0.5 橡胶产品三胶总综合能耗　total consumption of nature rubber,synthetic rubber and reclaimed rubber products

指报告期内用三胶加工橡胶产品所消耗的能源总量。

2.0.6 生产系统能耗　energy consumption of production system

指从烘胶开始,经炼胶、压延、挤出、成型、硫化等加工工艺全过程所消耗的能源。

2.0.7 辅助生产系统能耗　energy consumption of assistant production system

指原料助剂加工,供水、供电、供汽、压缩空气等部门所消耗的能源。

2.0.8 附属生产系统能耗　enerey consumption of ancillary production system

指机修、测试、计量、制冷等间接为生产服务的车间、科室所消耗的能源。

2.0.9 单位产品三胶综合能耗　unit product of nature rubber, synthetic rubber and reclaimed rubber

指用单位三胶量表示的综合能耗。

2.0.10 可比单位产品三胶综合能耗　comparable unit product of nature rubber, synthetic rubber and reclaimed rubber

在三胶总综合能耗中扣除辅助、附属能耗和能源损失量及地区气温差异所影响的能耗量。

3 基本规定

3.0.1 橡胶工厂中炼胶及主要生产车间宜集中布置或采用联合厂房的形式，炼胶车间应布置在厂区的下风向。动力站、空压站、制冷站、水泵站、锅炉房等公用工程设施宜靠近负荷中心。

3.0.2 变配电所的位置应靠近用电负荷中心。

3.0.3 功率在500kW及以上电动机，宜使用高压电动机。

3.0.4 对机械负载经常变化的电气传动系统，应使用调速运行的方式加以调节。调速运行方式的选择，应符合系统特点和条件的要求，通过安全、技术、经济、运行维护等方面综合分析比较后确定。

3.0.5 水泵选型与水泵台数的确定，应与用水量变化和建设进度相适应。多台水泵并联工作时，应对水泵及管道的并联工况进行计算与分析，确定最佳工作点。对于用水量经常发生变化的给水系统，应采用变频调速泵组或其他调速方式的水泵供水。

3.0.6 卫生器具和设备应选用国家推广应用的节能产品，管道材料应选用国家推广应用的新型材料。

3.0.7 橡胶工厂应充分利用蒸汽凝结水的余热，并宜按下列原则设计：

1 利用余热采暖的热媒参数可根据实际情况确定；

2 当有余热可供利用时，宜选择溴化锂吸收式冷水机组作为厂区供冷系统的辅助冷源。

3.0.8 绝热材料应本着就地取材、施工方便的原则进行选择，并应符合下列要求：

1 绝热材料在介质平均温度(27～350)℃时，导热系数不应大于0.120W/(m·K)；保冷材料在平均温度低于27℃时，导热系数不应大于 0.064W/(m·K)；

2 密度不应大于 300kg/m³；

3 耐热温度不应低于管道内介质的最高温度；

4 应吸水性低，对金属腐蚀性小。

4 总图、建筑与建筑热工节能设计

4.1 一般规定

4.1.1 橡胶工厂建筑群的总体布置,单体建筑的设计,宜利用冬季日照并避开冬季主导风向,利用夏季自然通风。建筑的主朝向宜选择本地区最佳朝向或接近最佳朝向。

4.1.2 制冷站的位置应根据冷负荷的分布、所需能源(电源、热源等)及冷却水系统位置确定。

4.1.3 压缩空气站宜设计为独立建筑,也可与其他建筑(水泵站、制冷站等)毗连;位置的选择宜接近负荷中心。

4.1.4 严寒、寒冷地区炼胶车间、主要生产车间及辅助用房的建筑体形系数不得超过0.4。

4.1.5 建筑面积小于主厂房车间总面积5%的辅助用房,应同主厂房一起进行节能设计。

4.2 建筑外围护结构节能设计

4.2.1 建筑气候分区应符合现行国家标准《公共建筑节能设计标准》GB 50189中的分区规定。

4.2.2 围护结构传热系数限值应根据建筑物所处的建筑气候分区来确定,建筑外围护结构的热工性能宜分别符合围护结构传热系数推荐限值的规定,其中外墙的传热系数应包括结构性热桥在内的平均值。

4.2.3 橡胶工厂厂房外窗面积在满足功能要求的条件下,窗墙面积比不宜超过0.5。

4.2.4 橡胶工厂主车间屋顶透明部分的面积不应大于屋顶总面积的10%。

4.2.5 严寒地区建筑的外门应设门斗，寒冷地区建筑的外门宜设门斗，建筑的外门窗应采取保温措施，并应对经常开关的外门部位采取减少冷风渗透的措施；外门和外窗框靠墙体部位的缝隙应采用高效保温隔热材料填充密实。

4.2.6 外窗应具有良好的密闭性能。严寒地区工业厂房外窗的气密性等级不应低于现行国家标准《建筑外门窗气密、水密、抗风压性能分级及检测方法》GB/T 7106 中规定的 6 级。寒冷地区外窗的气密性等级不应低于现行国家标准《建筑外门窗气密、水密、抗风压性能分级及检测方法》GB/T 7106 中规定的 4 级。

4.2.7 变形缝应采取保温措施，并应保证变形缝两侧墙的内表面温度在室内空气设计温、湿度条件下不低于露点温度。

4.2.8 橡胶工厂不宜采用玻璃幕墙。

5 工艺节能设计

5.1 生产工艺及布置

5.1.1 炼胶工段应遵守减少混炼段数的原则，可采用变速混炼工艺或低温炼胶工艺。

5.1.2 在满足工艺要求的条件下，轮胎硫化可采用充氮硫化工艺或变温等压硫化工艺。

5.1.3 工艺布置应遵守优化生产工艺和优化物流的原则。

5.1.4 工艺布置应兼顾各专业的节能要求。

5.2 工艺设备的选择及动力参数的确定

5.2.1 炼胶应根据产品品种和生产规模合理选择密炼机的机型和规格，宜选用无级调速密炼机。

5.2.2 在满足生产工艺要求的条件下，挤出类设备宜选用销钉式冷喂料挤出机或复合挤出机。

5.2.3 钢丝圈生产宜选用多工位钢丝圈挤出缠绕生产线。

5.2.4 硫化工段应选用保温效果好、热效率高和能耗低的硫化设备，热板护罩内径为1680mm以下规格的定型硫化机宜采用热板加热的形式。

5.2.5 输送带覆盖胶生产宜选用宽幅胶片挤出压延生产线。

5.2.6 根据生产工艺的要求及选用的设备，应确定各种动力介质的流量、温度、压力等参数。

5.2.7 根据生产工艺的要求，应确定采暖、通风和空调的参数。

6 电力节能设计

6.1 供电系统及电压等级选择

6.1.1 当供电电源有两个以上电压等级可供选择时，应进行综合技术经济比较。在符合生产要求的基础上，宜选用电能损耗少的电压等级方案。新建工厂不宜采用6kV作为厂区配电电压。

6.1.2 变配电系统应减少变压器级数，缩短供电半径。

6.1.3 输配电线路，应按经济电流密度校验导线截面。

6.1.4 变电所的设计应根据用电负荷的特性和变化规律，选择和配置变压器容量和台数。总降压变电站主变压器的负荷系数（负荷率）宜在0.60～0.75之间，车间变电所变压器的负荷系数（负荷率）宜在0.55～0.70之间。

6.2 车间配电

6.2.1 配电变压器应选用节能型变压器。

6.2.2 车间变电所及配电室应靠近大容量的用电设备或负荷中心。对负荷较大的多跨大面积厂房，宜采用干式变压器的成套变、配电装置，并应按下列原则设计：

1 电力供配电线路宜采用铜芯电线电缆和铜质母线；

2 低压供配电线路半径不宜大于150m；

3 同一区域的多台变压器之间应进行低压联络。

6.2.3 整流所的位置应接近负荷中心。

6.2.4 车间配电设备应采用高效电力整流设备，并根据负荷变化情况，对电力整流设备运行效率进行测定，电力整流设备在额定负荷状态时的转换效率不应低于下列指标：

1 直流额定电压在100V以上为95%；

2 直流额定电压在100V及以下为90%。

6.2.5 三相配电干线的各相负荷宜分配平衡，最大相负荷不宜大于三相负荷平均值的115%，最小相负荷不宜小于三相负荷平均值的85%。

6.2.6 对各车间变电所用电负荷应进行监测，无人值守的变配电室宜采用低压综合监测仪表。

6.2.7 炼胶、压延、挤出等高次谐波含量大的设备，宜采用谐波治理装置。谐波限制应符合现行国家标准《电能质量 公用电网谐波》GB/T 14549的有关规定。

6.3 功率因数补偿

6.3.1 在提高自然功率因数的基础上，应在负荷侧装设集中或就地无功补偿装置，企业计费侧最大负荷时的功率因数不应低于0.90。

6.3.2 单台100kW及以上感性负荷电动机在负荷较平稳时，宜就地设置补偿电力电容器，补偿容量(kvar)应为电动机容量(kW)的(25～30)%。

6.4 照　　明

6.4.1 室内照明设计的节能应符合现行国家标准《建筑照明设计标准》GB 50034的有关规定。

6.4.2 照明宜利用太阳能作为照明能源。

6.4.3 室内宜利用各种导光和反光装置将自然光引入室内进行照明。

6.4.4 厂区道路照明应分区多路集中控制，单个回路线路不宜过长，应使三相负荷平衡。

6.4.5 厂区道路照明的路灯应采用光电和时间控制。

6.4.6 照明设备宜选用带补偿的照明器具，照明布置的灯具宜采用节能控制，单相分支回路所接光源数不宜超过25个。

7 给排水节能设计

7.1 一般规定

7.1.1 橡胶工厂应根据工厂的用水系统、水质标准、用水量及当地水资源、市政供水情况选用水源。

7.1.2 橡胶工厂的给水排水系统设计应在满足生产工艺、职工生活、消防及环保要求的条件下，遵循节水、节能原则，采用运行安全可靠、技术先进、经济合理的技术方案。

7.2 给水系统

7.2.1 用水量计算应符合下列规定：

1 生产用水量、水质和水压，应根据生产工艺要求确定；

2 循环冷却水补充水量计算应符合现行国家标准《化学工业循环冷却水系统设计规范》GB 50648 的有关规定；

3 生活用水量计算应符合现行国家标准《建筑给水排水设计规范》GB 50015 的有关规定；

4 消防用水量计算应符合现行国家标准《建筑设计防火规范》GB 50016 的有关规定。

7.2.2 生产给水系统的选择，应根据生产工艺对水量、水质、水压及水温的不同要求，经技术经济比较后确定。

7.2.3 生产及辅助生产冷却水应循环使用。

7.2.4 间冷开式系统循环水的浓缩倍数应在 3.0～5.0 之间，并应采用水质稳定处理及采取杀菌灭藻措施。

7.2.5 直冷开式系统循环水的水质应根据生产工艺要求确定。循环水处理方式应根据生产工艺要求和环保排放要求确定工艺流程。

7.2.6 生产循环冷却给水系统的补充水，宜使用可重复利用水和再生水。

7.2.7 间冷闭式循环冷却水系统的补充水量不应大于小时循环水量的0.2%，宜采用软水作为补充水。

7.2.8 冷却塔的设计参数应根据地区类别、气象条件、工艺生产要求、水量水温变化的情况确定。冷却塔数量应与用水量变化相匹配，不设备用。冷却塔的风机可采用变频、双速或多风机。当设计用循环水的回水余压进冷却塔冷却时，应在进水管上设置旁通管。在气温较低，不需冷却塔冷却时，可直接加压回用。

7.2.9 生产用低温水系统(25℃以下)和热媒管道应进行绝热处理。

7.2.10 生活热水加热宜利用工厂蒸汽凝结水的热量，有条件时可采用太阳能热水器、地源热泵、空气源热泵等节能型供热设备。

7.3 排水及中水回用

7.3.1 橡胶工厂的污水、废水应实行清污分流，清净废水宜单独收集、利用，污染物浓度较高的污水应进行预处理。

7.3.2 雨水宜收集利用。

7.3.3 对有中水供应的地区，绿化、洗车、冲厕等应利用中水；对没有中水供应的地区，宜自建中水设施。中水的原水宜选用清净废水和雨水。

7.3.4 排水管道应合理布置，排水系统宜采用重力流排水，污水处理应合理利用高程差。

8 供热节能设计

8.0.1 在橡胶工厂已建成的热电联产集中供热和规划建设热电联产集中供热项目的供热范围内，集中供热的传热蒸汽能满足橡胶生产工艺要求的，应采用集中供热。

8.0.2 自建供热锅炉房时，应根据当地燃料情况，选择高效节能型锅炉。当采用燃煤锅炉时，宜选用循环流化床锅炉。供热锅炉单台容量20t/h及以上者，经技术经济论证具有明显经济效益的，宜利用锅炉的余压余热，可设背压发电机组。

8.0.3 锅炉水处理设计应根据水源水质及锅炉类型、规格选择锅炉给水水处理系统。蒸汽压力小于或等于2.5MPa(表压)时，锅炉的排污率不宜大于10%；蒸汽压力大于2.5MPa(表压)时，锅炉的排污率不宜大于5%。

8.0.4 锅炉鼓、引风机及锅炉给水泵宜采用变频调速或液力耦合装置。

8.0.5 连续排污膨胀器排水、循环流化床锅炉排渣的热量宜回收利用。

8.0.6 对蒸汽负荷变化大的橡胶厂，经技术经济比较合理时，应选用蓄热器。

8.0.7 橡胶厂的凝结水宜采用密闭式凝结水回收系统，并应进行综合利用。

8.0.8 主蒸汽管道应靠近用汽量大的车间。

8.0.9 当用汽系统所需蒸汽压力等级不同时，锅炉房宜以较高压力等级供汽，对低压用汽部门应进行减压。

8.0.10 当冬季供暖用汽负荷较大且夏季用电制冷时，生产用汽和供暖用汽宜采用分别供汽的方式。

8.0.11 蒸汽管网的支座宜采用具有保温隔热支撑材料的支吊架。

9 供暖、通风和空气调节节能设计

9.1 供　　暖

9.1.1 橡胶工厂的供暖，当生产工艺的供热介质以蒸汽为主时，在不违反卫生、技术和节能要求的条件下，可采用蒸汽做热媒。

9.1.2 橡胶工厂的集中供暖应按下列规定设置：

1 建筑物为无窗大厂房时，宜采用热风供暖，可根据工作区的室温变化控制空调（送风）机组加热器的加热量；

2 建筑物为普通有窗的单层或多层厂房时，宜采用5℃的散热器供暖和热风供暖相结合的供暖方式，可根据工作区的室温变化控制送风机组加热器的加热量；

3 位于严寒地区和寒冷地区的建筑物，在非工作时间或中断使用的时间内，室内温度需保持在0℃以上，且利用房间蓄热不能满足要求时，应按5℃设置值班供暖；

4 设置供暖的建筑物，若工艺对室内温度无特殊要求时，且每个人占用建筑面积超过100m^2，宜设置局部供暖。

9.1.3 散热器应明装，散热器的外表面应刷非金属涂料。

9.2 通风与空气调节

9.2.1 根据生产工艺对生产环境温度、湿度控制范围的要求，空气调节系统应确定以下经济、节能的空调基数和技术可行的空调精度：

1 温度、湿度要求范围大的空气调节系统，宜按冬、夏季分别确定空调基数和技术可行的空调精度；

2 温度、湿度要求全年一致的空气调节系统，在技术可行和满足工艺要求的前提下，宜适当放宽温度基数，提高空调精度。

9.2.2 在设计全空气空气调节系统功能无特殊要求时,可采用单风管送风方式。空气处理宜采用定风量单风机的一次回风系统。

9.2.3 设计定风量全空气空气调节系统时,宜实现全新风运行或可调新风比的措施,同时设计相应的排风系统。新风量的控制与工况的转换宜采用新风和回风的焓值控制方法。

9.2.4 空气调节系统按冬、夏季的最小新风量,应取下列三项中的最大值:

1 保证生产工人每人不少于 $30m^3/h$ 的新风量;

2 保证空调工段(5～10)Pa 的微正压及补偿排风所需新风量;

3 按稀释空调工段内散发的有害气体所需新风量。

9.2.5 对于无窗大厂房空调工段的送风量,一般夏季大,冬季小,宜采用空调机组运行台数增减或空调机组双速运行来实现系统的变风量。

9.2.6 空气调节系统送风温差应按焓湿图($h-d$)表示的空气处理过程计算确定。空气调节系统采用上送风气流组织形式时,宜加大夏季设计送风温差,并应符合下列规定:

1 送风高度小于或等于 5m 时,送风温差不宜小于 5℃;

2 送风高度大于 5m 时,送风温差不宜小于 10℃;

3 采用置换通风方式时,送风温差不应受限制。

9.2.7 在同一空气处理系统中,不宜同时有加热和冷却运行过程。

9.2.8 厂房内产生热烟气的工艺设备,应设局部排风系统,对排风量较大的工艺设备宜采用吹吸式排风系统。根据严寒和寒冷地区技术经济比较,可设置能量回收装置。

9.2.9 厂房中的热工段宜选择屋顶自然通风器和带挡风板的、顺坡设计的天窗进行排风。

9.2.10 对有空调要求、建筑空间高度大于或等于 10m 且体积大于 $10000m^3$ 的高大厂房,宜采用分层空气调节。

9.3 空气调节系统的冷源

9.3.1 空气调节系统的冷源应根据所需的冷量、当地能源、水源和热源的供应情况，通过技术经济比较确定下列机组：

1 机组宜选用水冷电动压缩式冷水(热泵)机组；

2 对自备锅炉房的厂区，当夏季锅炉运行的台数满足工艺用汽后，富裕的蒸汽量足够全厂的制冷用蒸汽量时或新开一台锅炉能保证锅炉轮修，且负荷又在合理情况下时，可采用溴化锂吸收式冷水机组；

3 对外购蒸汽的厂区，经济比较合理时可选择溴化锂吸收式冷水机组。

9.3.2 当大型制冷机房选用离心式冷水机组时，其制冷量应满足负荷变化规律及部分负荷运行调节要求，宜大小搭配，且不少于两台。

9.3.3 在不同气候区的空气源热泵冷、热水机组应按下列原则选用：

1 应适用于夏热冬冷地区的建筑；

2 夏热冬暖地区，应根据热负荷选型；

3 寒冷地区，当冬季机组运行性能系数(COP)低于1.8或具有集中热源、气源时，则不宜采用。

9.3.4 对冬季或过渡季存在一定量供冷需求时，可利用冷却塔提供冷水。

10　动力与工业管道节能设计

10.1　动 力 系 统

10.1.1　动力站应靠近硫化工段设置。

10.1.2　动力系统的主要设备宜选用变频或可调节的产品。

10.1.3　动力系统设计中，应设置工艺设备凝结水回收系统。

10.1.4　当技术经济比较合理时，氮气硫化系统中使用的氮气宜回收利用。

10.1.5　压缩空气系统的设置，根据工艺设备用气压力等级的要求，宜设置不同的压力等级。

10.2　工 业 管 道

10.2.1　下列管道或设备应予以保温或保冷：

1　外表面温度高于 50℃的管道和设备；

2　介质温度低于或等于 25℃的管道；

3　寒冷地区，易冻结的厂区架空管道。

10.2.2　管道和设备的绝热厚度不应小于最小计算厚度，绝热材料应选用新型节能产品。

11 自动控制节能设计

11.0.1 密炼机应配置具有能量控制功能的计算机控制系统。

11.0.2 燃料用煤粉、油、气体的锅炉或单台额定蒸发量大于或等于10t/h的蒸汽锅炉或单台额定热功率大于或等于7MW的热水锅炉，宜装设燃烧过程自动调节装置。

11.0.3 生产车间内的集中空气调节系统、通风系统、车间温度应进行监测和控制，其中包括参数检测、设备状态显示、自动调节与控制、工况自动转换，宜采用分布式控制系统进行中央监控与管理。

11.0.4 根据工况自动加减设备运行台数，公用工程站房的设备宜采用变频节能方式运行。

11.0.5 橡胶工厂宜采用监控系统对各种设备的运行状况、各种动力介质的温度、压力等参数进行监控。

12 能源计量

12.0.1 能源计量应设置全厂及车间两级计量仪表。全厂宜采用能源管理系统。

12.0.2 能源计量器具的配置、管理，应符合现行国家标准《用能单位能源计量器具配备和管理通则》GB 17167 的有关规定。

12.0.3 厂区进水管路、水泵站供水管路、冷却水系统的补充水管、锅炉房进水管及车间供水的总管应设置计量装置；生活设施进水总管应设置计量仪表。厂区排水总管宜设置计量仪表。

12.0.4 锅炉燃料、原水总管、锅炉给水总管及每台锅炉的支管应设计量仪表；蒸汽供应：包括各工段生产蒸汽、生活蒸汽、采暖空调蒸汽、锅炉房自用蒸汽等应设计量仪表；蒸汽凝结水回水总管宜设计量仪表。

12.0.5 空压站的压缩空气出口总管或供车间的出口管应设置流量计量仪表。主要生产线及大型机组，宜单独设置流量计量仪表。

12.0.6 制冷站冷水系统的各供水分支管、冷水系统补水管和溴化锂吸收式冷水机组的热煤管宜设置流量计量仪表。

12.0.7 变配电所内的变配电设备应配置相应的智能测量和计量仪表，监测并记录电压、电流、功率、功率因数和有功电量、无功电量。

12.0.8 总降压变电站或总配电所应安装智能电能计量仪表。

12.0.9 功率在 75kW 及以上电动机、主要生产线及大型机组应单独配置电流表、有功电能表等计量仪表。

附录A 橡胶工业企业单位产品综合能耗一览表

表A 橡胶工业企业单位产品综合能耗一览表

序号	产品或生产规模	单　位	综合能耗	备注
一	轮胎厂			
1	全钢子午胎	吨标准煤/吨三胶 吨标准煤/吨轮胎	0.95 0.39	
2	半钢子午胎	吨标准煤/吨三胶 吨标准煤/吨轮胎	0.95 0.42	
二	力车胎厂	吨标准煤/万元产值	0.15	

注:1 轮胎厂单位产品综合能耗应符合现行国家标准《轮胎单位产品能源消耗限额》GB 29449的有关规定;

2 力车胎厂单位产品综合能耗为国内部分具有代表性大型生产企业近年统计结果。

附录B　橡胶产品综合能耗计算方法

B.0.1　本规范适用于轮胎、力车胎、胶管、胶带、胶鞋、乳胶及其他橡胶制品的综合能耗计算方法。

B.0.2　橡胶产品三胶综合能耗计算应包括三种情况：总综合能耗、单位产品三胶综合能耗、可比单位产品三胶综合能耗。

B.0.3　橡胶产品三胶总综合能耗应包括生产系统、辅助生产系统、附属生产系统的能源消耗量和损失量。不包括基本建设，生活用能和向外输出的能源。

B.0.4　综合能耗计算的能源应包括一次能源、二次能源和耗能工质。

B.0.5　能源量应以计量为准，热值应以实测为准，无实测条件的应按本规范附录C中各种能源按标准煤参考系数进行折算。电能热值一律按0.1229千克标煤/千瓦小时计算。多产品共用的辅助、附属系统的能耗量和损失量，应按消耗比例分摊法计算。

B.0.6　橡胶产品加工中回收利用的余热、余能不应计入总综合能耗，向外界输出时，则应从产品总综合能耗中扣除。

B.0.7　用外购半成品加工成品时，加工半成品所消耗的能源应计入总综合能耗。

B.0.8　总综合能耗应按下式计算：

$$E_{cz}=\sum_{i=1}^{n}(e_{ic}K_i)+\sum_{i=1}^{n}(e_{iff}K_i) \quad \text{(B.0.8)}$$

式中：E_{cz}——橡胶产品三胶总综合能耗，吨标准煤；

e_{ic}——产品加工（含外购半成品）消耗的某种能源实物量；

e_{iff}——产品加工（含外购半成品）消耗的辅助、附属能源和能源损失量；

K_i——某种能源折标准煤系数；

n——能源种数。

B.0.9 单位产品三胶量应以加工成合格产品所用的天然胶、合成胶、再生胶之和计算。单位产品三胶综合能耗应按下式计算：

$$E_{cd}=\frac{E_{cz}}{L} \tag{B.0.9}$$

式中：E_{cd}——单位三胶综合能耗，吨标准煤/吨三胶；

L——合格产品三胶总耗量，t。

B.0.10 可比单位产品三胶综合能耗应按下式计算：

$$E_{ck}=\frac{\sum_{i=1}^{n}(e_{ic}K_i)}{L}\cdot F \tag{B.0.10}$$

式中：E_{ck}——可比单位产品三胶综合能耗，吨标准煤/吨三胶；

e_{ic}——三胶消耗的某种能源实物量；

K_i——某种能源折标准煤系数；

n——能源种数；

L——合格产品三胶总耗量，t；

F——可比修正系数(见附录C)。

1 橡胶产品加工中因工艺要求，室温不宜低于18℃，我国地区气温差异较大，气温影响较大应采用修正系数(F)进行修正。

2 胶鞋产品生产中，某些品种需进行多次硫化，可比单位产品综合能耗计算中只计算一次硫化所消耗的能耗。

B.0.11 轮胎厂单位产品综合能耗应符合现行国家标准《轮胎单位产品能源消耗限额》GB 29449的有关规定。

附录C 气温影响可比修正系数 *F* 值

表C 气温影响规定可比修正系数 *F* 值

序号	地区、省、市	*F* 值
1	广东、广西、福建、江西、海南、(台湾)	1.00
2	上海、江苏、浙江、湖南、湖北	0.97
3	云南、贵州、四川、重庆	0.94
4	河南	0.90
5	陕西、山东、安徽	0.85
6	北京、天津、河北	0.82
7	甘肃、山西	0.78
8	辽宁、新疆、内蒙古、青海、宁夏	0.72
9	吉林	0.66
10	黑龙江	0.60

附录D　节能专篇编写大纲

D.0.1　概况应包括下列内容：

1　建设单位概况：建设单位名称、法定代表人、单位简介等内容；

2　项目概况：项目名称、建设地点、项目性质、项目类型、建设规模及建设内容、建设工期等内容；

3　生产工艺流程简述；

4　主要节能措施。

D.0.2　项目所在地能源供应条件应包括项目所在地周边环境描述及供水、供电、供气、供热条件的描述，可再生能源（太阳能、地热等）供应条件分析等。

D.0.3　用能、节能设计标准应根据项目所在地区、项目性质等采用相应的节能标准。

D.0.4　项目能源消耗种类、数量分析应包括下列内容：

1　项目能源消耗种类、来源及年耗量、能源使用分布（主要是描述项目用能特点，如主要耗能设备及其耗能量、比例等）；

2　用能总量及能源结构合理性分析。

D.0.5　能耗指标应列出类似项目国家或地方相关能耗指标或定额。当无相应的国家或地方发布的指标时，应对行业或类似项目的能耗水平进行调查分析，并应据此提出项目所耗各种能源的能耗指标。

D.0.6　项目节能措施应包括节能措施综述、相关专业节能措施、可再生能源的利用和分析。

D.0.7　节能措施综述应针对本项目的特点，对拟采用的相关节能措施按下列要求进行总体论述：

1 应说明节能新技术、新产品及新工艺采用情况；

2 应准确说明没有采取国家明令禁止或淘汰的落后工艺、设备。

D.0.8 相关专业节能措施应包括建筑节能措施、生产工艺节能措施和公用工程节能措施。

D.0.9 生产工艺节能措施应包括产品节能和生产技术的节能。

D.0.10 公用工程节能措施应包括基本节能措施(设计原则)、节煤措施、节电措施和节水措施。

D.0.11 针对节能项目的特点,对可再生能源的利用进行分析应包括可再生能源的利用条件分析及利用方案的简述。

D.0.12 节能项目的能耗指标应包括下列内容：

1 项目单位产品综合能耗；

2 项目万元产值增加值综合能耗。

D.0.13 对项目的节能效果进行对比分析应根据相应的能耗指标,评价其是否达到了国家或地方能耗定额,或是否达到国内或国外行业先进水平。

本规范用词说明

1 为便于在执行本规范条文时区别对待，对要求严格程度不同的用词说明如下：

1)表示很严格，非这样做不可的：

正面词采用“必须”，反面词采用“严禁”；

2)表示严格，在正常情况下均应这样做的：

正面词采用“应”，反面词采用“不应”或“不得”；

3)表示允许稍有选择，在条件许可时首先应这样做的：

正面词采用“宜”，反面词采用“不宜”；

4)表示有选择，在一定条件下可以这样做的，采用“可”。

2 条文中指明应按其他有关标准执行的写法为：“应符合……的规定”或“应按……执行”。

引用标准名录

《建筑给水排水设计规范》GB 50015
《建筑设计防火规范》GB 50016
《建筑照明设计标准》GB 50034
《公共建筑节能设计标准》GB 50189
《化学工业循环冷却水系统设计规范》GB 50648
《综合能耗计算通则》GB/T 2589
《建筑外门窗气密、水密、抗风压性能分级及检测方法》GB/T 7106
《电能质量 公用电网谐波》GB/T 14549
《用能单位能源计量器具配备和管理通则》GB 17167
《轮胎单位产品能源消耗限额》GB 29449

中华人民共和国国家标准

橡胶工厂节能设计规范

GB 50376 - 2015

条 文 说 明

修 订 说 明

《橡胶工厂节能设计规范》GB 50376—2015，经住房城乡建设部2015年2月2日第736号公告批准发布。

本规范是在《橡胶工厂节能设计规范》GB 50376—2006的基础上修订而成，上一版的主编单位是中国石油和化工勘察设计协会、全国橡胶塑料设计技术中心，参编单位是昊华工程有限公司、中国化学工业桂林工程公司、青岛英派尔化学工程有限公司，主要起草人员是：邹仁杰、顾卫民、李贵君、林清民、胡祖忠、冯康见、齐国光、陈宏年、罗燕民、刘杏、金贤芳、赵磊、丘西宁、徐开琦、苏志、任瑞祥、张清宇、邓小健、邓蓉、何最荣、吴江、刘爱华、王龙波、刘魁娟、王玉荣、王洁、王维晋、李修更、韩国义、刘岩、郑玉胜、黄元昌、谭力、崔政梅。

本次修订的主要技术内容包括：

1. 新增第三章“基本规定”、第十二章“能源计量”、附录D《节能专篇编写大纲》的设计规定；

2. 修订了三胶综合能耗（吨标准煤/吨三胶、吨标准煤/吨轮胎）的规定；补充了节能装备和节能材料选用要求；对原规范的技术参数、术语、相关专业标准、条文说明进行了调整与修订；

3. 各专业站房位置的选择要求统一归入本规范第四章中。

本规范在修订过程中，编制组进行了橡胶企业能耗数据的调查研究，通过调研取得了橡胶企业在生产过程中典型能耗的重要技术参数，总结了我国工程建设在橡胶行业的实践经验。

为了在使用本规范时能正确理解和执行条文规定，编制组编写了《橡胶工厂节能设计规范》条文说明并对条文规定的目的、依据以及执行中需注意的有关事项进行了说明，还着重对强制性条文的强制性理由作了解释。但是本条文说明不具备与规范正文同等的法律效力，仅供使用者作为理解和把握规范规定的参考。

目　　次

1 总　　则

1.0.1 根据《中华人民共和国节约能源法》，制定了《橡胶工厂节能设计规范》。制定本规范的目的是在正确设计思想的指导下，对橡胶工厂从外到内的设计进行控制，从而保证工程节能效果。大量工程设计实践表明，加强对设计的控制，可有效减少或避免对资源与能源的浪费。

1.0.2 本规范仅适用橡胶工厂的工业建筑，不包括橡胶工厂的生活区、厂前区的民用建筑，其民用建筑的节能设计应根据国家相应的设计规范进行设计。

1.0.3、1.0.4 本规范是各专业设计采取行之有效的节能措施的依据，应把节约能源放在重要位置考虑。特别是对主要耗能设备，例如，耗能最大的轮胎硫化工段，应采取有效措施，最大限度节能。各专业设计人员应进行多方案比较，最后选定。

1.0.5 综合能耗指标见附录A，橡胶产品三胶综合能耗计算方法见附录B，各种能源及耗能工质折标准煤参考系数按现行国家标准《综合能耗计算通则》GB/T 2589 的规定，详见表1、表2。

表1　各种能源折标准煤参考系数

能源名称		平均低位发热量	折标准煤系数
原煤		20908kJ/kg(5000kcal/kg)	0.7143kgcD/kg
洗精煤		26344kJ/kg(6300kcal/kg)	0.9000kgcD/kg
其他洗煤	洗中煤	8363kJ/kg(2000kcal/kg)	0.2857kgcD/kg
	煤泥	8363kJ/kg～12545kJ/kg (2000kcal/kg～3000kcal/kg)	0.2857kgcD/kg～ 0.4286kgcD/kg
焦炭		28435kJ/kg(6800kcal/kg)	0.9714kgcD/kg
原油		41816kJ/kg(10000kcal/kg)	1.4286kgcD/kg

续表 1

<table>
<tr><th colspan="2">能源名称</th><th>平均低位发热量</th><th>折标准煤系数</th></tr>
<tr><td colspan="2">燃料油</td><td>41816kJ/kg(10000kcal/kg)</td><td>1.4286kgcD/kg</td></tr>
<tr><td colspan="2">汽油</td><td>43070kJ/kg(10300kcal/kg)</td><td>1.4714kgcD/kg</td></tr>
<tr><td colspan="2">煤油</td><td>43070kJ/kg(10300kcal/kg)</td><td>1.4714kgcD/kg</td></tr>
<tr><td colspan="2">柴油</td><td>42652kJ/kg(10200kcal/kg)</td><td>1.4571kgcD/kg</td></tr>
<tr><td colspan="2">煤焦油</td><td>33453kJ/kg(8000kcal/kg)</td><td>1.1429kgcD/kg</td></tr>
<tr><td colspan="2">渣油</td><td>41816kJ/kg(10000kcal/kg)</td><td>1.4286kgcD/kg</td></tr>
<tr><td colspan="2">液化石油气</td><td>50179kJ/kg(12000kcal/kg)</td><td>1.7143kgcD/kg</td></tr>
<tr><td colspan="2">炼厂干气</td><td>46055kJ/kg(11000kcal/kg)</td><td>1.5714kgcD/kg</td></tr>
<tr><td colspan="2">油田天然气</td><td>38931kJ/m^3(9310kcal/m^3)</td><td>1.3300kgcD/m^3</td></tr>
<tr><td colspan="2">气田天然气</td><td>35544kJ/m^3(8500kcal/m^3)</td><td>1.2143kgcD/m^3</td></tr>
<tr><td colspan="2">煤矿瓦斯气</td><td>14636kJ/m^3～16726kJ/m^3
(3500kcal/m^3～4000kcal/m^3)</td><td>0.5000kgcD/m^3～
0.5714kgcD/m^3</td></tr>
<tr><td colspan="2">焦炉煤气</td><td>16726kJ/m^3～17981kJ/m^3
(4000kcal/m^3～4300kcal/m^3)</td><td>0.5714kgcD/m^3～
0.6143kgcD/m^3</td></tr>
<tr><td colspan="2">高炉煤气</td><td>3763kJ/m^3</td><td>0.1286kgcD/m^3</td></tr>
<tr><td rowspan="6">其他煤气</td><td>发生炉煤气</td><td>5227kJ/kg(1250kcal/m^3)</td><td>0.1786kgcD/m^3</td></tr>
<tr><td>重油催化裂解煤气</td><td>19235kJ/kg(4600kcal/m^3)</td><td>0.6571kgcD/m^3</td></tr>
<tr><td>重油热裂解煤气</td><td>35544kJ/kg(8500kcal/m^3)</td><td>1.2143kgcD/m^3</td></tr>
<tr><td>焦炭制气</td><td>16308kJ/kg(3900kcal/m^3)</td><td>0.5571kgcD/m^3</td></tr>
<tr><td>压力气化煤气</td><td>15054kJ/kg(3600kcal/m^3)</td><td>0.5143kgcD/m^3</td></tr>
<tr><td>水煤气</td><td>10454kJ/kg(2500kcal/m^3)</td><td>0.3571kgcD/m^3</td></tr>
<tr><td colspan="2">粗苯</td><td>41816kJ/kg(10000kcal/kg)</td><td>1.4286kgcD/kg</td></tr>
<tr><td colspan="2">热力(当量值)</td><td>—</td><td>0.03412kgcD/MJ</td></tr>
<tr><td colspan="2">电力(当量值)</td><td>3600kJ/(kW·h)
[860kcal/(kW·h)]</td><td>0.1229kgcD/(kW·h)</td></tr>
<tr><td colspan="2">电力(等价值)</td><td>按当年火电发电标准煤耗计算</td><td></td></tr>
<tr><td colspan="2">蒸汽(低压)</td><td>3763MJ/t(900Mcal/t)</td><td>0.1286kgcD/kg</td></tr>
</table>

表 2　耗能工质能源等价值

品　　种	单位耗能工质耗能量	折标准煤系数
新水	2.51MJ/t(600kcal/t)	0.0857kgcD/t
软水	14.23MJ/t(3400kcal/t)	0.4857kgcD/t
除氧水	28.45MJ/t(6800kcal/t)	0.9714kgcD/t
压缩空气	1.17MJ/m^3(280kcal/m^3)	0.0400kgcD/m^3
鼓风	0.88MJ/m^3(210kcal/m^3)	0.0300kgcD/m^3
氧气	11.72MJ/m^3(2800kcal/m^3)	0.4000kgcD/m^3
氮气(做副产品时)	11.72MJ/m^3(2800kcal/m^3)	0.4000kgcD/m^3
氮气(做主产品时)	19.66MJ/m^3(4700kcal/m^3)	0.6714kgcD/m^3
二氧化碳气体	6.28MJ/m^3(1500kcal/t)	0.2143kgcD/m^3
乙炔	243.67MJ/m^3	8.3143kgcD/m^3
电石	60.92MJ/kg	2.0786kgcD/kg

3 基本规定

3.0.1 橡胶工厂建筑群总图布置方式合理,线路布置顺畅,内外适应,尽量避免人货交叉,管线布置要短捷。

3.0.2 根据橡胶企业的用电特点,负荷主要集中在炼胶和压延压出工段。总变电所的位置应靠近炼胶和压延、压出工段。

3.0.3 目前国内橡胶厂的电机功率在500kW以上的主要有开炼机、空压机、密炼机、压延机、挤出机等。密炼机采用高压电机或直流电机,压延机、挤出机多采用直流电机,开炼机、空压机采用低压电机较多。按国家标准《评价企业合理用电技术导则》GB/T 3485的要求,200kW及以上交流电动机宜采用高压电机,根据橡胶设备实际情况确定为500kW及以上交流电动机宜采用高压电机,设计时应经过技术经济比较确定。

3.0.4 目前橡胶厂机械负载经常变化的设备主要有密炼机、泵类、风机类和空压机类。密炼机还有调速的要求,有调速要求的密炼机多数使用直流电机,目前已有厂家使用高压大功率变频调速。泵类、风机、空压机应根据不同使用类型,分组设置变频调速。

3.0.5 单台水泵或多台水泵并联运行,其水泵应处于高效段上运行,当用水量经常发生变化,或选择水泵不能在高效段上运行时,应采用调速技术,使水泵能在高效段上运行。

3.0.6 国家推广应用的新型管道材料符合卫生要求,阻力小、耐腐蚀、强度高、使用寿命长的特点。

3.0.7 凝结水的余热应充分利用,当利用余热采暖时,若用汽的分散、用量较小,可通过经济比较决定是否利用。

3.0.8 现行国家标准《设备及管道绝热技术通则》GB 4272,对保温材料性能的要求,密度不大于300kg/m³,随着保温材料的更新换代,常用保温材料密度一般在100kg/m³左右。

4 总图、建筑与建筑热工节能设计

4.1 一般规定

4.1.1 根据节能原则，对橡胶工厂建筑环境设计提出的一般原则。建筑群的布置和建筑物的平面设计合理与否，对冬季获得太阳辐射热和夏季通风降温是十分重要的，建筑设计对此必须引起足够重视。通过多方面分析，优化总图和建筑设计，采用本地区建筑最佳朝向或最适宜的朝向。

4.1.2、4.1.3 制冷站位置宜靠近负荷中心，以减少管线距离。在近几年的设计中，为维护方便和节约用地，把功能相近的水泵站、制冷站与空压站合为一组建筑，这种做法符合现行国家标准《压缩空气站设计规范》GB 50029 的规定。

4.1.4 体形系数是表征建筑热工特性的一个重要指标。与建筑物的层数、体量、形状等因素有关。建筑物的采暖耗热量中围护结构的传热耗热量占有很大比例。建筑物体形系数越大则发生向外传热的围护结构面积越大。在满足工艺条件下合理确定建筑形状时，必须考虑本地区气候条件，冬、夏太阳辐射强度，风环境，围护结构构造形式等各种因素，要求建筑体形简洁，以降低建筑物体形系数。

按橡胶工厂的工艺要求，为节省能耗，以集中布置为主，其体形系数一般较低。经过对橡胶工厂统计，体形系数多数不超过 0.4。

4.1.5 根据多年来橡胶工厂的建筑设计经验，为主厂房车间服务的辅房(保全、卫生间、车间办公室、更衣、淋浴室等)，建筑面积一般不会超过主厂房车间面积的 5%。

4.2 建筑外围护结构节能设计

4.2.1 对于不同气候条件下的建筑物，应根据建筑物所处的建筑气候分区，确定建筑围护结构合理的热工性能参数，满足节能要求。

国内各主要城市的建筑气候分区见表3。

表3 国内主要城市的建筑气候分区表

气候分区	代表城市
严寒地区A区	海伦、博克图、伊春、呼玛、海拉尔、满洲里、齐齐哈尔、富锦、哈尔滨、牡丹江、克拉玛依、佳木斯、安达
严寒地区B区	长春、乌鲁木齐、延吉、通辽、通化、四平、呼和浩特、抚顺、大柴旦、沈阳、大同、本溪、阜新、哈密、鞍山、张家口、酒泉、伊宁、吐鲁番、西宁、银川、丹东
寒冷地区	兰州、太原、唐山、阿坝、喀什、北京、天津、大连、阳泉、平凉、石家庄、德州、晋城、天水、西安、拉萨、康定、济南、青岛、安阳、郑州、洛阳、宝鸡、徐州
夏热冬冷地区	南京、蚌埠、盐城、南通、合肥、安庆、九江、武汉、黄石、岳阳、汉中、安康、上海、杭州、宁波、宜昌、长沙、南昌、株洲、永州、赣州、韶关、桂林、重庆、达县、万州、涪陵、南充、宜宾、成都、贵阳、遵义、凯里、绵阳
夏热冬暖地区	福州、莆田、龙岩、梅州、兴宁、英德、河池、柳州、贺州、泉州、厦门、广州、深圳、湛江、汕头、海口、南宁、北海、梧州

4.2.2 围护结构传热系数推荐限值，本规范根据橡胶工厂的实际，考虑其可行性和合理性，将建筑围护结构传热系数限值比民用建筑放宽。当建筑所处城市属于温和地区时，应判断该城市的气象条件与现行国家标准《公共建筑节能设计标准》GB 50189的气候分区规定中的某个城市最接近，围护结构的热工性能应符合该城市所属气候分区的规定。

根据橡胶工厂所处城市的建筑气候分区，围护结构的热工性能符合表4～表8的规定。

表 4　严寒地区(A、B 区)围护结构传热系数推荐限值

围护结构部位	传热系数 K [W/(m² · K)]	
	钢结构	钢筋混凝土结构
屋面	≤0.45	≤0.45
外墙	≤0.50	≤0.77
底面接触室外空气的架空或外挑楼板	≤0.50	≤0.77
非采暖房间与采暖房间的隔墙或楼板	≤0.80	≤0.80
外窗	≤3.20	≤3.20
屋顶天窗透明部位	≤2.60	≤2.60

表 5　寒冷地区围护结构传热系数推荐限值

围护结构部位	传热系数 K [W/(m² · K)]	
	钢结构	钢筋混凝土结构
屋面	≤0.55	≤0.55
外墙	≤0.60	≤1.00
底面接触室外空气的架空或外挑楼板	≤0.60	≤1.00
非采暖房间与采暖房间的隔墙或楼板	≤1.50	≤1.50
外窗	≤3.50	≤3.50
屋顶天窗透明部位	≤2.70	≤2.70

表 6　夏热冬冷地区围护结构传热系数推荐限值

围护结构部位		传热系数 K [W/(m² · K)]	
		钢结构	钢筋混凝土结构
屋面		≤0.70	≤0.70
外墙		≤1.00	≤1.20
底面接触室外空气的架空或外挑楼板		≤1.00	≤1.20
非采暖房间与采暖房间的隔墙或楼板		≤2.50	≤2.50
外窗	采暖空调房间外窗	≤3.50	≤3.50
	非采暖空调房间外窗	≤6.50	≤6.50
屋顶天窗透明部位		≤3.00	≤3.00

表 7　夏热冬暖地区围护结构传热系数推荐限值

围护结构部位	传热系数 K [W/(m² · K)]	
	钢结构	钢筋混凝土结构
屋面	≤0.90	≤0.90
外墙	≤1.50	≤1.50

续表 7

围护结构部位		传热系数 K [W/(m² · K)]	
		钢结构	钢筋混凝土结构
底面接触室外空气的架空或外挑楼板		≤1.50	≤1.50
非采暖房间与采暖房间的隔墙或楼板		≤2.50	≤2.50
外窗	采暖空调房间外窗	≤3.50	≤3.50
	非采暖空调房间外窗	≤6.50	≤6.50
屋顶天窗透明部位		≤3.50	≤3.50

表 8 不同气候区地面热阻推荐限值

气候分区	围护结构部位	热阻 R (m² · K/W)
严寒地区	地面	≥1.80
寒冷地区	地面	≥1.50
夏热冬冷地区	地面	≥1.20
夏热冬暖地区	地面	≥1.00

注:由于橡胶工业建筑本身功能单一、墙体材料单一,因此没有划分周边和非周边地面的热阻。

4.2.3 根据现行国家标准《公共建筑节能设计标准》GB 50189 规定,窗墙面积比限制为 0.7,该系数考虑了即使建筑立面使用全玻璃幕墙,扣除各层楼板梁、窗台等的面积,窗墙比一般不会超过 0.7。根据多年来橡胶工厂的建筑设计,很少采用全玻璃幕墙,经同类建筑设计统计,一般取 0.5 值。

4.2.4 夏季屋顶水平面太阳辐射强度最大,而冬季室外温度最低,因透明材料的热工性能较其他屋面材料差,导致太阳辐射热和传热损失过大,屋顶的透明面积越大,相应建筑的能耗也越大,根据橡胶工厂生产特点及产品要求,对建筑的能耗要求更严格,应对屋顶透明部分的面积予以严格的限制。

4.2.6 为了保证建筑的节能效果,要求外窗具有良好的气密性能,以抵御夏季和冬季室外空气过多地向室内渗透,因此对外窗的气密性能要求较高。

4.2.7 变形缝作为保温的薄弱环节,常被建筑节能设计忽略,应采取必要的保温措施。

4.2.8 根据橡胶工厂的建筑设计特点,不宜采用大面积玻璃幕墙。

5 工艺节能设计

5.1 生产工艺及布置

5.1.1 高速或变速混炼工艺能缩短混炼时间,降低能源消耗。

5.1.2 轮胎硫化采用充氮硫化工艺或热水变温等压硫化工艺,因其比目前常用的热水等温等压硫化工艺蒸汽耗量低。

5.2 工艺设备的选择及动力参数的确定

5.2.1 炼胶是高能耗工段,无级调速密炼机能提高生产效率,减少设备占地面积,降低能源消耗。

5.2.2 冷喂料挤出机能减少设备的台数和占地面积,减少排烟系统,降低能源消耗。

5.2.3 所列设备能提高生产效率,减少设备台数和占地面积,降低能源消耗。

5.2.4 硫化设备的选择跟能耗有直接关系,如热板式定型硫化机比蒸锅式定型硫化机蒸汽消耗要低。

6 电力节能设计

6.1 供电系统及电压等级选择

6.1.1 对于轮胎生产企业，因为要达到经济规模，所以用电负荷都比较大，统计最近几年设计的工程，结合地区供电部门电网情况，厂外供电电压通常采用35kV或110kV，厂区内配电电压通常采用10kV。对于一般橡胶制品企业由于用电负荷一般较小，采用10kV供电的比较多。

6.1.3 为了减少线路损耗，合理选择导体截面，要求输配电线路，应按经济电流密度校验导线截面。按经济电流密度选择电缆线芯截面时，初投资一般比按载流量选择线芯截面要大。当年利用小时为6500h以上，三班制运行的电缆，回收年限一般为(1～2)年，年利用小时为4000h的电缆，回收年限为(2～3)年，年利用小时为2000h的电缆，也只要(3～4)年。因此，采用经济电流密度选用电缆线芯截面是非常经济的。

6.1.4 绝大多数橡胶加工工厂设有总降压变电站或10kV总配电所，全厂需布置多个车间变电所，配备多台车间变压器。因此，合理选择总降压变电站的主变压器容量和台数，以减少变压器和线路的电能损耗是十分重要的。

变压器的损耗主要为空载损耗和负载损耗。一般情况下，空载损耗是固定不变的，而负载损耗与负荷系数的平方成正比，当变压器在经济负荷系数下运行时，变压器的效率最高。

变压器的单位负荷损耗(A,kW/kV·A)与负荷系数($\beta=S/SD$)、变压器空载损耗(P_o,kW)、变压器负载损耗(P_k,kW)，变压器容量(SD,kV·A)之间的关系式如下式：

$$A=\frac{P_{o}+\beta^{2}\times P_{k}}{\beta\times S_{e}} \tag{1}$$

以式(1)做出的变压器单位负荷损耗与负荷系数的连续函数关系呈马鞍形曲线，如图 1 所示。

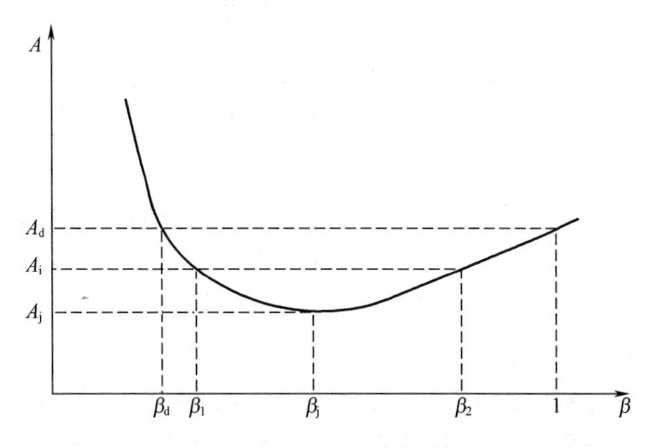

图 1　$A-\beta$ 关系曲线

由图 1 可见：在经济负荷系数 β_j 时单位负荷损耗最小；显然，单位负荷损耗最小时变压器的效率也最高；在同一单位负荷损耗值时对应两个负荷系数 β_1 和 β_2，但 $\beta_1\sim\beta_j$ 区间运行的变压器没有得到充分利用，且这段曲线较陡，不宜作为变压器的运行区域。工程设计中，常用的 S9～S11 型油浸变压器的损耗比 $\alpha(\alpha=P_k/P_o)$ 在 5.2～8.5 之间，$SCB9\sim SCB11$ 干式变压器的损耗比 α 在 3～5 之间，而变压器的经济负荷系数 β_j 在 0.3～0.5 之间。通常认为，任一负荷下的单位负荷损耗 A 与经济负荷系数下的单位负荷损耗 A_j 相比，其比值 $B=A/A_j$ 即可反映某一负荷系数下的 A 值为 A_j 之倍数，并可求得增加的相对值的百分数，以此来判断变压器运行时的经济性。根据计算，认为 B 值为 1.1 及以下时相应的负荷系数属于经济运行范围，与之相对应的 β_2 在 0.55～0.75 之间。设计中既要考虑到变压器的利用率并有一定的备用容量以满足企业负荷增长的需要，同时又要顾及变压器容量不宜过大以降低设备投资费用和主变压器按容量收取基本电费的现实情况，因此总降压站主变压器负荷系数宜在0.60～0.75之间的经济负荷区运行；车间变压器不存在收取基本电费的情况，取经济负荷区的负荷系数为0.55～0.70较适宜。

6.2 车间配电

6.2.1 橡胶工厂电能损耗主要为设备损耗和线路损耗，为了达到节能的目的，应选用节能型变压器。这里所指的“节能型变压器”是指其空载损耗和负载损耗符合现行国家标准《三相配电变压器能效限定值和节能评价值》GB 20052中节能评价值的规定。

6.2.2、6.2.3 为减少线路损耗，在不影响工艺生产要求的前提下应尽可能地缩短供电半径。根据橡胶厂用电负荷的特点，用电负荷主要集中在炼胶工段和压延压出工段及公用工程各站房，为此在上述各工段设置车间变电所比较合理，供电半径一般不超过150m。根据密炼机供货厂家要求，由整流所密炼机整流柜至电机的供电距离宜小于50m。

由于铜芯导线的导电性能和机械性能均高于铝芯导线，目前设计中已很少使用铝芯导线，和铝芯导线相比铜芯导线的节能效果更明显，因此提出供配电线路宜采用铜芯电线电缆和铜质母线。

6.2.4 本条引用了现行国家标准《评价企业合理用电技术导则》GB/T 3485中的有关条款。橡胶厂存在大量的整流设备，如直流调速密炼机、交流变频调速密炼机、双螺杆挤出压片机、复合挤出生产线、压延机、内衬层生产线等用的控制设备由生产厂家成套供应，因此对电力整流设备的效率提出要求。

6.2.5 橡胶厂单相用电设备主要为照明设备。

6.2.7 由于大量整流设备的应用，子午线轮胎厂谐波电流的含量比较大，尤其是炼胶和压延、压出工段，谐波含量均超过现行国家标准《电能质量　公用电网谐波》GB/T 14549的要求，不仅对电网造成污染，而且在企业内部造成补偿电容烧毁或无法正常投入，变压器无法正常运行。建议采用谐波治理装置。

6.3 功率因数补偿

6.3.1 在负荷侧安装了无功补偿装置后，减少了无功功率由电源侧向负荷侧的流动，因此降低线路和变压器因输送无功功率造成的电能消耗，加装无功补偿后，不仅提高了功率因数，减小了电能损耗，还可充分挖掘设备输送功率的潜力；根据现行国家标准《评价企业合理用电技术导则》GB/T 3485 中的有关条款，同时为满足供电部门对 10kV 以上用户的功率因数要求在 0.9 以上的规定而制定本条规范。

6.4 照 明

6.4.2、6.4.3 太阳能是取之不尽、用之不竭的能源，虽一次性投资大，但维护和运行费用很低，符合节能和环保要求。经核算证明技术经济合理时，宜利用太阳能作为照明能源。在技术经济条件允许条件下，宜采用各种导光装置，如导光管、光导纤维等，将自然光引入室内进行照明，或采用各种反光装置，如利用安装在窗上的反光板和棱镜等使光折向房间的深处，提高照度，节约电能。

7 给排水节能设计

7.1 一般规定

7.1.1 尽量利用市政供水作为工厂的用水水源，并利用其供水压力，可有效地减少工厂用水的能耗。

7.2 给水系统

7.2.3 橡胶工厂的冷却水经使用后，水质未受污染，仅是水温升高，应循环使用。

7.2.4 间冷开式系统循环水提高浓缩倍数，可减少排污水量，利于节水、节能，但当浓缩倍数超过5以上，节水量已无显著增加。随着浓缩倍数的提高，对水质稳定处理的运行费用随之增加。通过对循环冷却水量为1000m^3/h的系统计算得出排污水量、补充水量随浓缩倍数变化关系，计算条件：气温为35℃，气温系数k值为0.00155/℃，进出冷却塔温差为5℃，冷却塔的风吹损失水率按循环水量0.1%计。

表9 不同浓缩倍数时循环冷却水系统的补充水量与排污水量

项　　目	浓缩倍数 N							
	1.5	2.0	3.0	4.0	5.0	6.0	7.0	8.0
排污水量 Q_b(m^3/h)	14.50	6.75	2.88	1.58	0.94	0.55	0.29	0.11
排污水量占循环水量比例(%)	1.45	0.68	0.29	0.16	0.09	0.05	0.03	0.01
补充水量 Q_m(m^3/h)	23.25	15.50	11.63	10.33	9.69	9.30	9.04	8.86
补充水量占循环水量比例(%)	2.33	1.55	1.16	1.03	0.97	0.93	0.90	0.89

7.2.6 再生水的定义为：废水经处理后，达到一定的水质指标，满足某种使用要求的水。重复利用水的定义为：经过使用，不经处理其水质指标能满足再利用的水。

7.2.8 由于气象温度根据季节、昼夜不断变化，冷却塔的风机采用变频、双速、多风机，可充分利用自然温差，降低冷却水温度，节省风机用电量。当设计为循环水利用回水余压直接进冷却塔冷却时，应设计接入循环水供水池的旁通管，这样在气温低，循环水无须进冷却塔，水温就能达到要求时，直接回用。由于仅冷却塔用，因此要校核冷却塔维修时水量负荷，做到经济运行。

7.2.10 应利用蒸汽凝结水的热量，达到节能的目的。

7.3 排水及中水回用

7.3.1 清净废水的定义为：未受污染或受污染较轻以及水温稍有升高，不经处理即符合排放标准的废水。

8 供热节能设计

8.0.1 原国家计委、原国家经贸委、建设部、国家环保总局联合发布的《关于发展热电联产的规定》(计基础〔2000〕1268 号)文中规定:在已建成的热电联产集中供热和规划建设热电联产集中供热项目的供热范围内,不得再建燃煤自备热电厂或永久性供热锅炉房。所以在上述范围内的工程应采用热电厂的蒸汽为热源。

8.0.7 对于规模大的橡胶厂,由于凝结水量比较大,当采用开式凝结水回收系统时,产生的二次蒸汽量较大,如不加以利用直接排放,浪费比较严重,故宜采用密闭式凝结水回收系统。

橡胶工厂自建锅炉房时,凝结水符合锅炉给水要求的宜作为锅炉给水;不符合锅炉给水要求的,宜作为供暖、制冷和生活用热以充分利用其热能。当采用外购蒸汽时,蒸汽凝结水在厂内宜作为供暖、制冷和生活用热,充分利用其热能后作为生产循环水的补充水。当热量无法利用时,凝结水可经冷却后回收作为生产循环水的补充水。

8.0.11 没有保温隔热支撑材料的热力管道支吊结构仅起承载作用。管道施工中由于不便进行保温隔热,热力管道支吊结构往往处于裸露或半裸露状态,有的虽然采取了较好的外保温,但由于未阻断支撑部位之“热桥”,保温效果很不理想。美国和日本早在1989 年即开始使用隔热支吊架,我国现在已有厂家推出隔热支吊架,并有较多成功应用案例。

9 供暖、通风和空气调节节能设计

9.1 供 暖

9.1.1 由于热水供暖比蒸汽供暖具有明显的技术经济效果，用于民用建筑是经济合理的，近年来各单位大都是这样做的，民用建筑一般由热水锅炉直接供热水供暖，节能效果明显。工业建筑的情况比较复杂，有时生产工艺是以高压蒸汽为热源，单独设计一套热水系统就不一定合理。橡胶工厂的硫化工段全年使用蒸汽，全厂敷设了蒸汽和凝结水管网，利用蒸汽通过间接加热供暖热水的系统就不一定节能。

9.1.2 热风供暖能使无窗大厂房内的温度梯度减小，均匀度好。最重要的是将厂房内设备发热量、灯光发热量（一般供暖设计计算中不作计算，仅作为富余量）和室外温度的变化综合反映到工作区的温度上来。热风供暖有机地综合了各种发热量，具体反映到工作区每一时刻需要的热量，由自动控制系统完成测温和控制热风系统加热器即时的加热量，应是一种最节能的供暖方式。

严寒和寒冷地区是否设置值班供暖，主要考虑车间内消防管路、其他防冻管路和特殊设备的防冻问题。

9.1.3 实验证明：散热器外表涂刷非金属性涂料时，其散热量比涂刷金属性材料时增加10%左右。

9.2 通风与空气调节

9.2.1 温、湿度基数取值的高低，与能耗多少有密切的关系。在加热工况下，室内设计温度每降低1℃，能耗可减少(5～10)%；在冷却工况下，室内设计温度每升高1℃，能耗可减少(8～10)%。为了节省能源，夏季应避免采用过低的室内温度基数，冬季应避免采用过高的室内温度基数。

1 生产工艺如要求室内温度波动范围为(23～28)℃，相对湿度控制或不控制，宜将空调温度基数冬、夏季分开设置，冬天温度(25±2)℃，夏天温度(26±2)℃。

2 生产工艺如要求室内温度、湿度全年一致，当其空调温度精度大于或等于±3℃时，宜将空调温度基数夏季提高1℃，冬季降低1℃。如要求全年温度(25±3)℃，相对湿度为(50±5)％，温度的控制精度从±3℃提高到±2℃时，从技术和安全考虑是完全可行的。此时，空气调节系统夏季温度、湿度分别为(26±2)℃，(50±)5％；冬季为(24±2)℃，(50±5)％。但当空调温度精度小于或等于±2℃时，不适用本款。因为温度控制精度从±2℃提高到±1℃时，根据现行国家标准《采暖通风与空气调节设计规范》GB 50019的有关规定，空调区域的送风温差将减少、换气次数将提高，同时空调系统的自控要求也将提高，因此会造成空调系统的初投资和运行费用增加，不符合节能要求。

9.2.2 全空气空气调节系统具有易于改变新、回风比例，必要时可实现全新风运行从而获得较大的节能效益和环境效益，且具有易于集中处理噪声、过滤净化，控制空调区的温度和湿度、设备集中、便于维修和管理等优点。

9.2.3 空气调节系统设计时不仅要考虑到设计工况，而且应考虑全年运行模式。在过渡季，空气调节系统采用全新风和增大新风比运行，都可有效地改善空调区内空气的品质，大量节省空气处理所消耗的能量，应大力推广应用。

要实现全新风运行，设计时必须认真考虑新风取风口和新风管所需的截面积，妥善安排好排风出路，并应确保室内必须保证的正压值。应明确的是："过渡季"的值是与室内、室外空气参数相关的一个空调工况分区范围，确定的依据是通过室内、室外空气参数的比较而定。由于空气调节系统在全年运行过程中，室外参数总是处在一个不断变化的动态过程之中，即使是夏天，每天早晚也有可能出现“过渡季”工况(尤其是全天24h使用的空气调节系统)。因此,不要将“过渡季”理解为一年中自然的春、秋季节。

9.2.4 空气调节系统的新风量主要有三个计算依据:一是满足人体生理需求;二是保持室内正压;三是稀释室内有害气体的浓度,满足人员的卫生要求。根据多个工程计算积累经验,无窗大工业厂房空气调节系统的夏季冷负荷,一般新风负荷约占(60~65)%,工艺设备发热约占(15~20)%,围护结构约占(10~15)%[其中屋顶约占围护结构冷负荷的(80~90)%],内、外墙约占(10~20)%,灯光负荷约占(10~13)%,人员负荷约占1%;冬季热负荷新风约占(80~85)%,围护结构负荷约占(15~20)%。所以降低无窗大工业厂房空气调节系统的冷负荷,选择合理的新风量对节能是非常重要的。一般来说保证室内正压需要的新风量最大,为了维持(5~10)Pa的微正压,宜在相邻工段的大门处设置软门帘、开启方便的门或空气幕。在确定生产工人所需新风量时,应按最大班人数确定。

9.2.5 无窗大工业厂房中的空调工段,空调机组的通风量是按夏季最大的室内冷负荷计算确定的,而冬季为加热工况,空气调节系统需要的冬季送风量要比夏季少,经计算,一般可减少(20~40)%。改变送风量一般可采用:一、更换皮带轮;二、采用变频风机;三、调节风机入口调节阀;四、关停部分空调机组。其中关停机组最节能,鉴于无窗大工业厂房空调工段的面积大,空调机组多,可以通过关停机组进行调节。另外,还可采用机组双速运行,夏季时高速、冬季时低速,来实现系统变风量,保证车间气流均匀。

9.2.6 送风温度通常应以 $h-d$ 图的计算为准。对于要求不高的空调而言,降低一些要求,加大送风温差,可以达到很好的节能效果。送风温差加大一倍,送风量可减少一半左右,送风系统的材料消耗和投资相应可减小40%左右,动力消耗则下降50%左右。送风温差在(4~8)℃之间时,每增加1℃,送风量约可减少(10~15)%。而且上送风气流在到达人员活动区域时已与房间空气进行了比较充分的混合,温差减小,可形成较舒适环境,该气流组织形式有利于大温差送风。由此可见，采用上送风气流组织形式空气调节系统时，夏季的送风温差可以适当加大。采用置换通风方式时，由于要求的送风温差较小，故不受本条文限制。

9.2.7 在空气处理过程中，同时有冷却和加热过程出现，肯定是既不经济也不节能的，设计中应尽量避免。对于夏季具有高温高湿特征的地区来说，若仅用冷却过程处理，有时会使相对湿度超出设定值，如果时间不长，一般是可以允许的。但对相对湿度的要求很严格时，冷却后再加热可能是需要的方式之一。

9.2.8 工艺生产车间无论是有窗还是无窗厂房，对于产生热烟气的设备，在其上方应设置局部排风系统，将浓度最高、最热的烟气收集排出，可大大减少车间为改善工作区的空气品质和工作环境需要的通风量，从而达到节能的目的。在严寒和寒冷地区，冬季需加热室外空气来补充车间因排风系统而损失的空气和热量。冬季新鲜空气的加热量约占车间冬季加热量的(80～90)％。为此要求对于单个设备的排风量大于 20000m^3/h 的排风系统，宜设吹吸式排风系统。即在设备排风系统运行的同时，由送风系统将室外空气直接送到设备前方，排出的空气(70～80)％是由送风系统送入的室外新风，从而大大减少冬季排出的已加热到室温的室内空气，达到节能的目的。对严寒和寒冷地区如技术经济比较合理，还可以增加能量回收装置，将排出空气中(50～70)％的热量回收，用来加热从室外送入的空气，以防止送入空气过冷在室内产生雾，从而达到节能的效果，同时也改善了送入空气的品质(冬季使用)。

9.2.9 无窗大工业厂房的热工段，为防暑降温所需通风量较大。须将大量的室外新风通过送风机组和屋顶送风机送入工作区。根据风量的平衡原理，须排出相同的风量才能达到平衡。排风方式有两种：一是通过屋顶排风机排风，这种方式虽然调节灵活，屋顶开洞小，但能耗大；二是自然排风，利用热车间的热压与送风系统形成的正压排风，基本不消耗电能，维修工作量极小，故推荐第二种方式。排风可选择屋顶自然通风装置和带挡风板的天窗。选用带挡风板的天窗时，应顺屋面坡度布置，以利于屋面排水。

9.2.10 此条为新增条文。分层空调适用于高大建筑物，当建筑物高度大于或等于10m，体积大于10000m³，空调区高度与建筑物高度之比小于或等于1/2时，这种方式才经济合理。与全室空调相比，夏季可节省冷量30%左右，因此，能节省初投资和运行能耗。但需指出的是冬季空调并不节能。

9.3 空气调节系统的冷源

9.3.1 常用冷水机组有用电和用蒸汽两大类。

(1)根据资料电动式冷水机组的一次能耗远小于吸收式冷水机组。制冷量耗标准煤量及一次能耗计算的性能系数(COP)值如下：

电动往复式耗煤0.086kgcD/kW，COP=1.43

电动离心式耗煤0.082kgcD/kW，COP=1.50

吸收式耗煤0.233kgcD/kW，COP=0.53

说明电动式耗能量仅为吸收式的1/3左右，COP值约为吸收式的3倍，所以推荐选用电动式冷水机组。

当采用电动压缩式冷水机组时，在额定制冷工况和额定条件下，性能系数(COP)不应低于表10的规定。

表10 电动压缩式冷水(热泵)机组制冷性能系数

类型		额定制冷量(kW)	性能系数(W/W)
水冷	活塞式/涡旋式	<528	3.80
		528～1163	4.00
		>1163	4.20
	螺杆式	<528	4.10
		528～1163	4.30
		>1163	4.60
	离心式	<528	4.40
		528～1163	4.70
		>1163	5.10

续表 10

类型		额定制冷量(kW)	性能系数(W/W)
风冷或蒸发冷却	活塞式/涡旋式	≤50	2.40
		＞50	2.60
	螺杆式	≤50	2.60
		＞50	2.80

负荷性能系数(IPLV)可按(2)式计算和检测条件检测:

$$IPLV = 2.3\% \times A + 41.5\% \times B + 46.1\% \times C + 10.1\% \times D \quad (2)$$

式中:A——100%负荷时的性能系数(W/W),冷却水进水温度30℃;

B——75%负荷时的性能系数(W/W),冷却水进水温度26℃;

C——50%负荷时的性能系数(W/W),冷却水进水温度23℃;

D——25%负荷时的性能系数(W/W),冷却水进水温度19℃。

当采用水冷电动压缩式冷水(热泵)机组时,综合部分负荷性能系数(IPLV)不宜低于表11的规定。

表 11 水冷电动压缩式冷水(热泵)机组综合部分负荷性能系数

类型		额定制冷量(kW)	综合部分负荷性能系数(W/W)
水冷	螺杆式	＜528	4.47
		528～1163	4.81
		＞1163	5.13
	离心式	＜528	4.49
		528～1163	4.88
		＞1163	5.42

注:IPLV值是基于单台主机运行工况。

(2)当采用蒸汽、热水型溴化锂吸收式冷水机组及直燃型溴化锂吸收式冷(温)水机组时,应选用能量调节装置灵敏、可靠的机型,在名义工况下的性能参数应符合表12的规定。

表12 溴化锂吸收式机组性能参数

<table>
<tr><th rowspan="3">机型</th><th colspan="3">名义工况</th><th colspan="3">性能参数</th></tr>
<tr><th rowspan="2">冷(温)水
进/出口
温度(℃)</th><th rowspan="2">冷却水
进/出口
温度(℃)</th><th rowspan="2">蒸汽压力
(MPa)</th><th rowspan="2">单位制冷量
蒸汽耗量
[kg/(kW·h)]</th><th colspan="2">性能系数(W/W)</th></tr>
<tr><th>制冷</th><th>供热</th></tr>
<tr><td rowspan="4">蒸汽
双效</td><td>18/13</td><td rowspan="4">30/35</td><td>0.25</td><td rowspan="2">≤1.40</td><td>—</td><td>—</td></tr>
<tr><td rowspan="3">12/7</td><td>0.40</td><td>—</td><td>—</td></tr>
<tr><td>0.60</td><td>≤1.31</td><td>—</td><td>—</td></tr>
<tr><td>0.80</td><td>≤1.28</td><td>—</td><td>—</td></tr>
<tr><td rowspan="2">直燃</td><td>供冷 12/7</td><td>30/35</td><td>—</td><td>—</td><td>≥1.10</td><td>—</td></tr>
<tr><td>供热出口 60</td><td>—</td><td>—</td><td>—</td><td>—</td><td>≥0.90</td></tr>
</table>

注:直燃机的性能系数为:制冷量(供热量)÷[加热源消耗量(以低位热计)+电力消耗量(折算成一次能)]。

(3)当名义制冷量大于7100W,采用电机驱动压缩机的单元式空气调节机、风管送风式和屋顶式空气调节机组时,在名义制冷工况和规定条件下,其能效比(DRR)不应低于表13的规定:

表13 单元机组能效比

类型		能效比(W/W)
风冷式	不接风管	2.60
	接风管	2.30
水冷式	不接风管	3.00
	接风管	2.70

9.3.2 本条是参考有关资料并结合我国实践经验制订的。

据调查,某厂设计安装了三台2800kW的离心式冷水机组,当实际需要的冷负荷很小时,开启一台冷水机组,其制冷量有余,致使机器频繁地自动启停。开动一台离心式冷水机组能满足调节范围的要求,但低负荷运行时机器的效率低,只有停止该机运行,启用制冷量较小的其他冷水机组，才比较合理。因此，为了调节、使用方便和节约能源，选用大规格离心式冷水机组时，应铺设一台或两台小型冷水机组。机组的台数选择应按工程大小、负荷运行规律而定，一般不宜少于两台，大工程台数也不宜过多。

9.3.3 本条提出了空气源热泵经济合理应用、节能运行的基本原则：

1 与水冷机组相比，空气源热泵耗电较高，价格也高，但其具备供热功能，对不具备集中热源的夏热冬冷地区来说较为适合，尤其是机组的供冷、供热量和该地区建筑空调夏、冬冷热负荷的需求量较匹配，冬季运行效率较高。从技术经济、合理使用方面考虑，单独和特殊用途的建筑最为合适。

2 在夏热冬暖地区使用时，因需热量小和供热时间短，以需热量选择空气源热泵作冬季供热，夏季不足冷量可采用投资低、效率高的水冷式冷水机组补足，可节约投资和运行费用。

3 寒冷地区使用时必须考虑机组的经济性与可靠性。当在室外温度较低的工况下运行，致使机组制热COP太低，失去热泵机组节能优势时就不宜采用。

9.3.4 一些冬季或过渡季需要供冷的建筑，当室外条件许可时，采用冷却塔直接提供空调冷水的方式，减少了全年运行冷水机组的时间，是一种值得推广的节能措施。通常的系统做法是：当采用开式冷却塔时，用被冷却塔冷却后的水作为一次水，通过板式换热器提供二次空调冷水（如果是闭式冷却塔，则不通过板式换热器，而是直接提供空调冷水），再由阀门切换到空调冷水系统向空调机组供冷水，同时停止冷水机组的运行。不管采用何种形式的冷却塔，都应按当地过渡季或冬季的气候条件，计算空调末端需求的供水温度及冷却水能够提供的水温，并得出增加投资和回收期等数据，当技术经济合理时可以采用。

10　动力与工业管道节能设计

10.1　动力系统

10.1.1　硫化工段用热设备较集中，应减少管路长度，降低热能损失。

10.1.2　主要设备指负荷变化大的水泵和空压机，宜选用变频或可调节的产品，有利于节约能源。

10.1.3　凝结水回收系统的设计，不仅要考虑回收有压凝结水和无压凝结水，在技术经济合理的情况下，对二次蒸汽也应进行回收。

10.1.5　压缩空气分级供应投资大，如果消耗量大，技术经济比较合理，条件允许，宜按不同压力等级设计。

10.2　工业管道

10.2.1　本条各款的说明如下：

1　橡胶工厂工艺生产中，使用大于50℃的热介质较为普遍，表面温度高于50℃的管道和设备应保温。

2　25℃以下介质的管道是指采用制冷方式获得的冷却水，所以管道需要保冷。

3　对于输送液体介质的管线，为防止管内介质停止流动时发生冻结，管道需要保温。

11 自动控制节能设计

11.0.1 能量控制是指按工艺配方，计算机在控制密炼机混炼工作时，根据时间、温度及功率采用的最佳控制方案。

11.0.2 锅炉运行不可避免存在各种热损失，在各种热损失中，由于燃料不完全燃烧，造成的排烟热损失占总热损失的10%左右。在锅炉的烟气出口处安装氧量测量装置，可根据烟气含氧量来调节燃料、新风和排风的比例来减少排烟的热损失，达到经济燃烧。

11.0.3 集中空气调节系统，应在新风口设新风温度测点，车间温度设置检测监视仪表，在不同的季节，应根据不同的室外环境温度设置控制方案，如在冬、夏两季多用回风，而春、秋两季多用新风，从而减少冷量和热量的消耗。车间或仓库内的暖风机宜设置温度控制。

11.0.4 公用工程站房内包括水泵、制冷机、空压机等多种设备，宜在不同的工况下，测量设备的出口压力等相关参数，采用变频节能方式运行，工况发生较大变化时，自动加减设备运行台数。

11.0.5 现代化的橡胶工厂内，应设置监控系统，对各种设备的运行状况、各种动力介质的温度及压力参数等进行监视或控制，以达到节能运行。

12 能源计量

12.0.1 全厂计量是指在各个站房设置的计量仪表，所有计量参数宜设置计算机能源管理系统对所有计量参数进行监控，加强量化管理。

12.0.2 规定要求在设计阶段为橡胶工厂能源计量管理配备必要的硬件设施，必须在计量器具的选择上严格执行现行国家标准《用能单位能源计量器具配备和管理通则》GB 17167 的有关规定。

12.0.3 企业计量仪表：车间用水计量率应当达到100%，设备用水计量率不低于90%。水表精度应在±2.5%范围内。

12.0.5 主要生产线及大型机组意指一条硫化生产线或复合挤出机等；计量属于3级计量，可根据条件考虑。

12.0.7 电能计量仪表准确度等级应满足现行国家标准《电力装置的电测量仪表装置设计规范》GB/T 50063 中规定：

1 月平均用电量 5×10^{6} kW·h及以上或变压器容量为10MVA及以上的总降压变电站或总配电所用于计费的计量柜，应采用0.2S级有功电能表（配0.2或0.2S级CT、0.2级PT）；

2 月平均用电量 1×10^{6} kW·h及以上或变压器容量为2MVA及以上的总降压变电站或总配电所用于计费的计量柜，应采用0.5S级有功电能表（配0.2或0.2S级CT、0.2级PT）；

3 用于企业内部考核的总降压变电站或总配电所计量，采用1.0级有功电能表（配0.5S级CT、0.5级PT）；

4 车间变电所的考核计量，应采用2.0级有功电能表（配0.5S级CT、0.5级PT）；

5 无功电能表的准确度等级均采用2.0级，当作为内部考核计量时，配0.5S级CT、0.5级PT；当作为计量柜计费时，配用0.2

或0.2S级CT、0.2级PT。

12.0.8 总降压变电站或总配电所应安装智能电能计量仪表，以利于对峰、平、谷等不同时段的用电量的管理。

12.0.9 多台电动机共用一个动力箱、配电屏时的电压测量，利用箱、屏接入母线上的电压表；只供单台电动机的控制柜应配置电压表、电流表、有功电能表等计量仪表。